Hans-Karl Ulrich gewidmet

Drei finnische Volkslieder Kolme kansanlaulua

1. Tirlil

Deutsch von Mikko Heiniö

MIKKO HEINIÖ, op. 28 n:o 1

mf
pp
poco f
sf
sf
10
tir-lil
tir-lil
tir-lil
tir-lil, tir-lil-lil-lil
mf
pp
poco f
sf
sf
tir-lil
tir-lil
tir-lil
tir-lil, tir-lil-lil-lil
3
4
2
4
3
4
2
4
10
mf
pp
poco f
p
sf
tir-lil
tir-lil
tir-lil
lil-lil
tir-lil-lil-lil-lil-lil
mf
pp
poco f
p
sf
tir-lil
tir-lil
tir-lil
lil-lil
tir-lil-lil-lil-lil-lil

ppp
15
tir-lil-lil-lil - lil-lil, tir-lil
tui-tur-lul, tui-tur-lul, tui-tur
(unis.)
ppp
tir-lil-lil-lil - lil-lil, tir-lil
tui-tur-lul, tui-tur-lul, tui-tur
poco espressivo
pp
"Tir - lil" lis - peln schö - ne Mäd - chen, "Tui - tur" lus - tern
Tir - lil - lit - tiä nät - tiä tyt - tiä, tui - tur - lut - tia
2
4
ppp
(unis.)
15
tir-lil-lil-lil, tir-lil-lil-lil
(unis.)
ppp
tir-lil-lil-lil, tir-lil-lil-lil

20
p
tir-lil-lil-tir
tui-tur-lul-tui
tir-lil-lil-tir
tui-tur-lul-tui
bra - ve Bur - schen. "Tir - lil" lis - peln, "Tui - tur" lus - tern,
ko-mi-a-ta poi - kaa. Tir - lil - lit - tiä, tui - tur - lut - tia,
tui-tur-lul, tui-tur-lul, tui-tur
lil-lil-lil-tir
lul-lul-lul-tui
tui-tur-lul, tui-tur-lul, tui-tur
lil-lil-lil-tir
lul-lul-lul-tui
poco espressivo
pp
"Tir - lil" lis - peln, "Tui - tur" lus - tern,
Tir - lil - lit - tiä, tui - tur - lut - tia,

25
pp
f sub.
Al-le wol-len, al-le wol-len tan-zen. Wel-che nun wä-ren die
Kaik-ki tah-too, kaik-ki tah-too tans-siin. Kei-tä te oot-te te
pp
f sub.
Al-le wol-len, al-le wol-len tan-zen. Wel-che nun wä-ren die
Kaik-ki tah-too, kaik-ki tah-too tans-siin. Kei-tä te oot-te te
Al-le wol-len tan-zen.
Kaik-ki tah-too tans-siin.
25
pp
Al-le wol-len, al-le wol-len tan-zen.
Kaik-ki tah-too, kaik-ki tah-too tans-siin.
pp
Al-le wol-len, al-le wol-len tan-zen.
Kaik-ki tah-too, kaik-ki tah-too tans-siin.
Al-le wol-len tan-zen.
Kaik-ki tah-too tans-siin.

30
p
pp
bra-ven Burschen, die im-mer wol-len tan - zen?
nuo-ret poi-ka-set, jok-ka tah-too tans- siin?
Tir-lil-lil-lil, tir-lil, tir-lil,
bra-ven Burschen, die im-mer wol-len tan - zen.
nuo-ret poi-ka-set, jok-ka tah-too tans-siin?
Tir-lil-lil-lil, tir-lil, tir-lil,
p poco espress.
"Tir- lil" lis - peln schö - ne Mäd-chen,
Tir-lil - lit - tiä nät - tiä tyt - tiä,
"Tir- lil" lis - peln schö - ne Mäd - chen,
Tir-lil - lit - tiä nät - tiä tyt - tiä,
30
tir-lil-lil-lil, tir-lil, tir-lil
tir-lil-lil-lil, tir-lil, tir-lil

35
tui-tur-lul-tui, tui-tur-lul-lul
tir-lil-lil-tir
tui-tur-lul-tui, tui-tur-lul-lul
tir-lil-lil-tir
"Tui - tur" lus - tern bra - ve Bur - schen. "Tir - lil" lis - peln,
tui - tur - lut - tia ko-mi-a-ta poi - kaa. Tir - lil - lit - tiä,
"Tui - tur" lus - tern bra - ve Bur - schen. "Tir - lil" lis - peln,
Tui - tur - lut - tia ko-mi-a-ta poi - kaa. Tir - lil - lit - tiä,
35
tui-tur-lul-tui, tui-tur-lul-lul
tir-lil-lil-tir
tui-tur-lul-tui, tui-tur-lul-lul
tir-lil-lil-tir
poco espress.
"Tir - lil" lis - peln,
Tir - lil - lit - tiä,
"Tir - lil" lis - peln,
Tir - lil - lit - tiä,

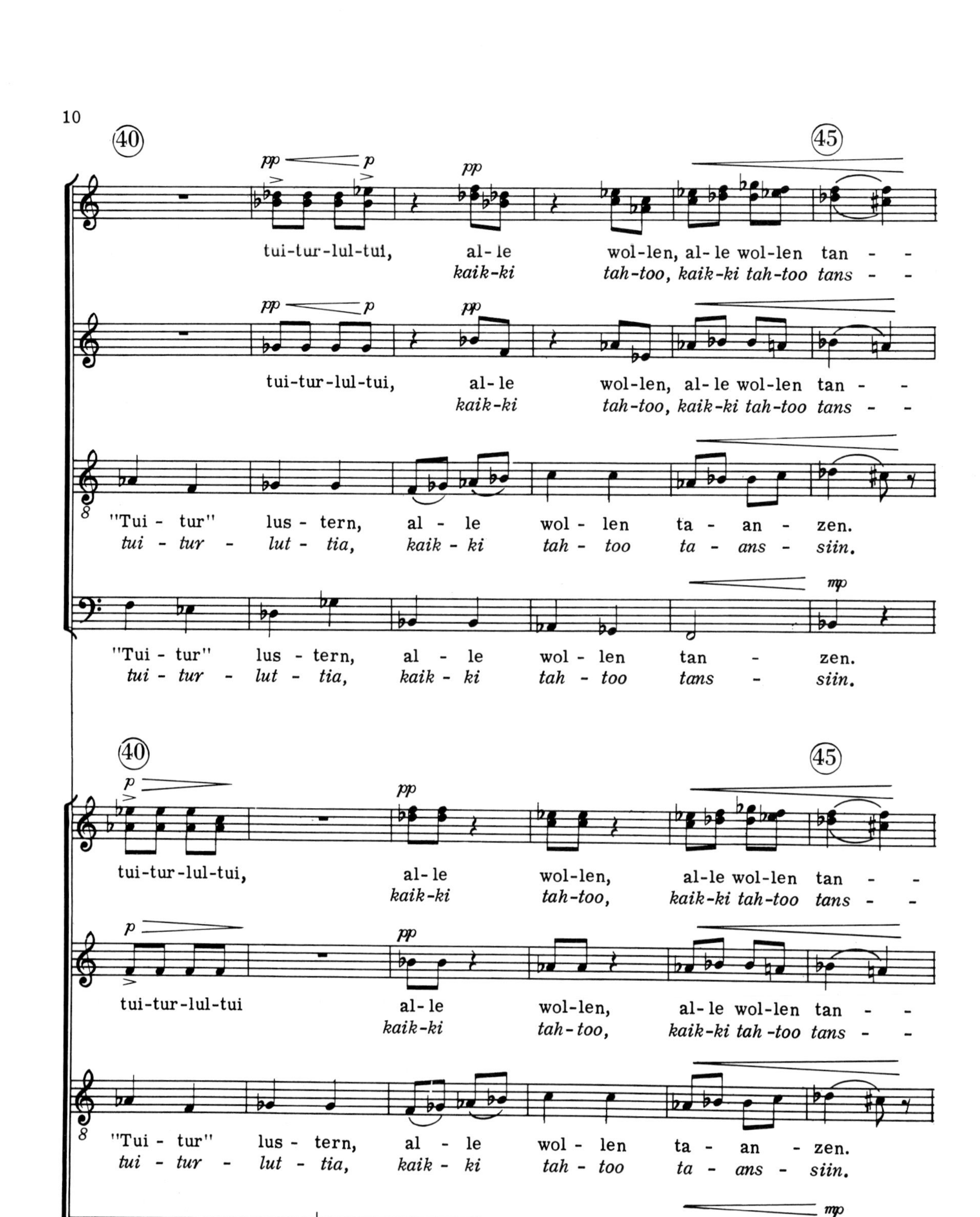
40
45
pp
p
tui-tur-lul-tui,
al-le
kaik-ki
wol-len, al-le wol-len tan
tah-too, kaik-ki tah-too tans
"Tui - tur" lus - tern, al - le wol - len ta - an - zen.
tui - tur - lut - tia, kaik - ki tah - too ta - ans - siin.
mp
"Tui - tur" lus - tern, al - le wol - len tan - zen.
tui - tur - lut - tia, kaik - ki tah - too tans - siin.
tui-tur-lul-tui,
al-le wol-len, al-le wol-len tan
kaik-ki tah-too, kaik-ki tah-too tans
tui-tur-lul-tui
"Tui - tur" lus - tern, al - le wol - len ta - an - zen.
tui - tur - lut - tia, kaik - ki tah - too ta - ans - siin.
"Tui - tur" lus - tern, al - le wol - len tan - zen.
tui - tur - lut - tia, kaik - ki tah - too tans - siin.

50
zen.
siin.
zen.
siin.
"Tir-lil" lis-peln
Tir-lil-lit-tiä
Wel-che nun wä-ren die schö-nen Mädchen, die im-mer wol-len tan-zen? Tan - -
Kei-tä te oot-te te nuo-ret nei-to-set, jok-ka tah-too tans-siin? Tans - -
Tan - -
Tans - -
50
zen.
siin.
zen.
siin.
Wel-che nun wä-ren die schö-nen Mädchen, die im-mer wol-len tan-zen?
Kei-tä te oot-te te nuo-ret nei-to-set, jok-ka tah-too tans-siin?

55
schö-ne Mäd-chen, "Tui-tur" lus-tern bra - ve Bur-schen, "Tir-lil" lis-peln, "Tui-tur" lus-tern
nät-tiä tyt-tiä, tui-tur-lut-tia ko-mi-a-ta poi-kaa, tir-lil-lit-tiä, tui-tur-lut-tia,
fz
tan - - zen - zen
tans - - si - si
55
zen - zen tan -
si - si tans -

60
al- le nun wol- len tan - zen. "Tir-lil" lispeln,"Tui-tur" lus-tern, shcö-ne Mädchen,
kaik-ki ne tah-too tans - siin. Tir-lil- lit-tiä, tui-tur-lut- tia, nät-tiä tyt-tiä,
fz
- zen al - al -
- si kaik - kaik -
- zen al - al -
- si kaik - kaik -
60
mp
"Tir-lil" lis-peln, "Tui-tur" lus-tern, schö-ne Mädchen,
Tir-lil - lit-tiä, tui-tur-lut - tia, nät-tiä tyt -tiä,
tan - - - zen - le
tans - - - si - ki
tan - - - zen - le
tans - - - si - ki

65
bra - ve Burschen. "Tir-lil" lis-peln, "Tui-tur" lus-tern, al - le nun wol-len tan - zen.
ko-mi-a- ta poi-kaa. Tir-lil- lit- tiä, tui-tur- lut- tia, kaik-ki ne tah-too tans- siin.
fz
fz
mf
- le
- ki
- len
- too
tan - -
tans - -
fz
fz
mf
- le
- ki
- len
- too
tan - -
tans - -
65
bra - ve Burschen. "Tir-lil" lis-peln, "Tui-tur" lus-tern, al-le nun wol-len tan - zen.
ko-mi-a-ta poi-kaa. Tir-lil-lit-tiä, tui-tur-lut - tia, kaik-ki ne tah-too tans -siin.
fz
fz
fz
mf
al -
kaik -
wol -
tah -
nun
nyt
tan -
tans -
fz
fz
fz
mf
al -
kaik -
wol -
tah -
nun
nyt
tan -
tans -

Wel-che nun wä-ren die bra-ven Burschen, die im-mer wol-len tan - zen?
Kei-tä te oot-te te nuo-ret poi-ka-set, jok-ka tah-too tans - siin?
zen.
siin.
zen.
siin.
Wel-che nun wä-ren die schö-nen Mädchen, die
Kei-tä te oot-te te nuo-ret nei-to-set,
Wel-che nun wä-ren die bra-ven Burschen, die im-mer wol-len tan - zen?
Kei-tä te oot-te te nuo-ret poi-ka-set, jok-ka tah-too tans - siin?
zen.
siin.
zen.
siin.
Wel-che nun wä-ren die schö-nen Mädchen, die
Kei-tä te oot-te te nuo-ret nei-to-set,

70

"Tir-lil" lis-peln schönen Mädchen, "Tuitur" lustern
Tir-lil-lit-tiä nät-tiä tyt-tiä, tui-tur-lut-tia
Piu-pa-li, pau-pa-li, piu-pa-li, pau-pa-li tan - zen. Ta - - an -
Piu-pa-li, pau-pa-li, piu-pa-li, pau-pa-li tans - siin. Ta - - ans -
- zen - zen
- si - si
im-mer wol-len tan - zen? - zen - zen
jok-ka tah-too tans - siin? - si - si
70
Piu-pa-li, pau-pa-li, piu-pa-li, pau-pa-li tan - zen.
Piu-pa-li, pau-pa-li, piu-pa-li, pau-pa-li tans - siin.
Tan - tan -
Tans - tans -
im-mer wol-len tan - zen? Tan - tan -
jok-ka tah-too tans - siin? Tans - tans -

75
bra - ve Burschen. "Tir-lil" lis-peln, "Tuitur" lustern, al-le nun wol-len tan - zen.
ko-mi-a-ta poi-kaa. Tir-lil - lit-tiä, tui-tur-lut-tia, kaik-ki ne tah-too tans - siin.
sf
zen. "Tir-lil" lis-peln schö-ne Mädchen, "Tuitur" lus-tern bra - ve Burschen.
siin. Tir-lil-lit-tiä nät-tiä tyt-tiä, tui-tur -lut - tia ko-mi-a-ta poi-kaa.
- zen - zen - zen tan - zen.
- si - si - si tans - si.
- zen - zen - zen tan - zen.
- si - si - si tans - si.
75
mf
Ta - - a - - - an - zen.
Ta - - a - - - ans - siin.
tan - tan - tan - tan - zen.
tans - tans - tans - tans - si.
tan - tan - tan - tan - zen.
tans - tans - tans - tans - si.

80

"Tir-lil" lis-peln, "Tui-tur" lustern, schö-ne Mädchen, bra - ve Burschen. "Tir-lil" lis-peln,
Tir-lil-lit-tiä, tui-tur-lut-tia, nät-tiä tyt-tiä, ko-mi-a-ta poi-kaa. Tir-lil-lit-tiä
"Tir-lil" lis-peln, "Tui-tur" lustern, al-le nun wol-len tan - zen. "Tir-lil" lis-peln,
Tir-lil-lit-tiä, tui-tur-lut-tia, kaik-ki ne tah-too tans - siin. Tir-lil-lit-tiä,
Al - le wol - len tan - zen. Ta -
Kaik - ki tah - too tans - siin. Ta -
Al - le wol - len tan - zen. Ta -
Kaik - ki tah - too tans - siin. Ta -

80
"Tir-lil" lis-peln, "Tui-tur" lustern, schö-ne Mädchen, bra - ve Burschen, "Tir-lil" lis-peln,
Tir-lil-lit-tiä, tui-tur-lut-tia, nät-tiä tyt-tiä, ko-mi-a-ta poi-kaa, Tir-lil-lit-tiä,
Ta - - a - - - - an - zen "Tir-lil" lis-peln,
Ta - - a - - - - ans - siin Tir-lil-lit-tiä,
Al - le wol - len tan - zen. Ta - -
Kaik - ki tah - too tans - siin. Ta - -
Al - le wol - len tan - zen. Ta - -
Kaik - ki tah - too tans - siin. Ta - -

85
"Tui-tur" lustern, al-le nun wol-len tan - zen.
tui-tur-lut-tia, kaik-ki ne tah-too tans - siin.
"Tui-tur" lustern, schö-ne Mädchen, bra - ve Burschen.
tui-tur-lut-tia, nät - tiä tyt - tiä, ko-mi-a-ta poi-kaa.
- a - - an - zen.
- a - - ans - siin.
- a - - an - zen.
- a - - ans - siin.
85
"Tui-tur" lustern, al-le nun wol-len tan - zen.
tui-tur-lut-tia, kaik-ki ne tah-too tans - siin.
"Tui-tur" lus-tern, schö-ne Mädchen, bra- ve Burschen.
tui-tur-lut-tia, nät-tiä tyt-tiä, ko-mi-a-ta poi-kaa.
ff
- a - an - - - zen. Welche nun wären die schönen Mädchen, die
· a - ans - - - siin. Kei-tä te oot-te te nuo-ret nei-to-set
ff
a - an - - - zen. Welche nun wären die schönen Mädchen, die
a - ans - - - siin. Kei-tä te oot-te te nuo-ret nei-to-set

90
ff
f
Wel-che nun wä-ren die schönen Mädchen,die im-mer wol-len tan - zen?
Kei-tä te oot-te te nuo-ret nei-to-set, jok-ka tah-too tans - siin?
ff
f
Wel-che nun wä-ren die schönen Mädchen,die im-mer wol-len tan - zen?
Kei-tä te oot-te te nuo-ret nei-to-set, jok-ka tah-too tans - siin?
90
ff
Wel-che nun wä-ren die bra-ven Bur-schen, die
Kei-tä te oot-te te nuo-ret poi - ka-set,
ff
Wel-che nun wä-ren die bra-ven Bur-schen die
Kei-tä te oot-te te nuo-ret poi - ka-set,
f
mf
mf
im-mer wol-len tan - zen? Piu-pa-li pau-pa-li, piu-pa-li pau-pa-li
jok-ka tah-too tans - siin? Piu-pa-li pau-pa-li, piu-pa-li pau-pa-li
f
mf
mf
im-mer wol-len tan - zen? Piu-pa-li pau-pa-li, piu-pa-li pau-pa-li
jok-ka tah-too tans - siin? Piu-pa-li pau-pa-li, piu-pa-li pau-pa-li

95
ff
f
Wel-che nun wä-ren die bra-ven Bur-schen, die im-mer wol-len tan - zen?
Kei-tä te oot-te te nuo-ret poi-ka-set, jok-ka tah-too tans - siin?
ff
f
Wel-che nun wä-ren die bra-ven Bur-schen, die im-mer wol-len tan - zen?
Kei-tä te oot-te te nuo-ret poi-ka-set, jok-ka tah-too tans - siin?
mf
ff
piu-pa-li pau-pa-li, piu-pa-li pau-pa-li im-mer wol-len tan - zen?
piu-pa-li pau-pa-li, piu-pa-li pau-pa-li. jok-ka tah-too tans - siin?
mf
ff
piu-pa-li pau-pa-li, piu-pa-li pau-pa-li im-mer wol-len tan - zen?
piu-pa-li pau-pa-li, piu-pa-li pau-pa-li jok-ka tah-too tans - siin?
95
f
mf
im-mer wol-len tan - zen? Piu-pa-li pau-pa-li, piu-pa-li pau-pa-li,
jok-ka tah-too tans - siin? Piu-pa-li pau-pa-li, piu-pa-li pau-pa-li,
f
mf
im-mer wol-len tan - zen? Piu-pa-li pau-pa-li, piu-pa-li pau-pa-li,
jok-ka tah-too tans - siin? Piu-pa-li pau-pa-li, piu-pa-li pau-pa-li,
ff
ff
im-mer wol-len tan - zen? Wel-che nun wä-ren die schö-nen Mädchen, die
jok-ka tah-too tans - siin? Kei-tä te oot-te te nuo-ret nei-to-set,
ff
ff
im-mer wol-len tan - zen? Wel-che nun wä-ren die schö-nen Mädchen, die
jok-ka tah-too tans - siin? Kei-tä te oot-te te nuo-ret nei - to-set,

100
mf
Piu-pa-li pau-pa-li, piu-pa-li pau-pa-li, im-mer wol-len tan - zen?
Piu-pa-li pau-pa-li, piu-pa-li pau-pa-li, jok-ka tah-too tans - siin?
Piu-pa-li pau-pa-li, piu-pa-li pau-pa-li, im-mer wol-len tan - zen?
Piu-pa-li pau-pa-li, piu-pa-li pau-pa-li, jok-ka tah-too tans - siin?
Wel-che nun wä-ren die schö-nen Mädchen, die im-mer wol-len tan - zen?
Kei-tä te oot-te te nuo-ret nei-to-set, jok-ka tah-too tans - siin?
Wel-che nun wä-ren die schö-nen Mädchen, die im-mer wol-len tan - zen?
Kei-tä te oot-te te nuo-ret nei-to-set, jok-ka tah-too tans - siin?
100
im-mer wol-len tan - zen? Wel-che nun wä-ren die braven Burschen, die
jok-ka tah-too tans - siin? Kei-tä te oot-te te nuo-ret poi-ka-set,
im-mer wol-len tan - zen? Wel-che nun wä-ren die braven Burschen, die
jok-ka tah-too tans - siin? Kei-tä te oot-te te nuo-ret poi-ka-set,
im-mer wol-len tan - zen? Wel-che nun wä-ren die braven Burschen, die
jok-ka tah-too tans - siin? Kei-tä te oot-te te nuo-ret poi-ka-set,
im-mer wol-len tan - zen? Wel-che nun wä-ren die braven Burschen, die
jok-ka tah-too tans - siin? Kei-tä te oot-te te nuo-ret poi-ka-set,

ff
f
mf
105
Wel-che nun wä-ren die schönen Mädchen,die immer wol-len tan- zen?
Kei-tä te oot-te te nuo-ret nei-to-set, jok-ka tah-too tans-siin?
Wel-che nun wä-ren die schönen Mädchen,die immer wol-len tan-zen?
Kei-tä te oot-te te nuo-ret nei-to-set, jok-ka tah-too tans-siin?
Wel-che nun wä-ren die schönen Mädchen,die immer wol-len tan - zen?
Kei-tä te oot-te te nuo-ret nei-to-set, jok-ka tah-too tans-siin?
Wel-che nun wä-ren die schönen Mädchen,die immer wol- len tan - zen?
Kei-tä te oot-te te nuo-ret nei-to-set, jok-ka tah-too tans-siin?
105
ffz
im- mer wol- len tan - zen?
jok-ka tah- too tans - siin?
Ta - an - zen
Ta - ans - si
im- mer wol- len tan - zen?
jok-ka tah- too tans - siin?
Ta - an - zen
Ta - ans - si
im-mer wol- len tan - zen?
jok-ka tah-too tans - siin?
Ta - an - zen
Ta - ans - si
im- mer wol- len tan - zen?
jok-ka tah-too tans - siin?
Ta - an - zen
Ta - ans - si

110

pp
mf
"Tir-lil" lis-peln schö-ne Mäd-chen, "Tui-tur" lustern bra - ve Burschen. "Tui - tur"
Tir-lil-lit-tiä nät-tiä tyt-tiä, tui-tur-lut-tia ko-mi-a-ta poi-kaa. Tui - tur-
"Tir-lil" lis-peln schö-ne Mäd-chen, "Tui-tur" lustern bra - ve Burschen. "Tui - tur"
Tir-lil-lit-tiä nät-tiä tyt-tiä, tui-tur-lut-tia ko-mi-a-ta poi-kaa. Tui - tur-
"Tir - lil" lis - peln schö - ne Mäd - chen. "Tui - tur"
Tir - lil - lit - tiä nät - tiä tyt - tiä. Tui - tur-
"Tir - lil" lis - peln schö - ne Mäd - chen. "Tui - tur"
Tir - lil - lit - tiä nät - tiä tyt - tiä. Tui - tur-
110
"Tir - - lil - - lil" lis - peln. "Tir-lil" lis-peln,
Tir - - lil - - lil - - lit - tiä. Tir-lil-lit-tiä,
"Tir - - lil - - lil" lis - peln. "Tir-lil" lis-peln,
Tir - - lil - - lil - - lit - tiä. Tir-lil-lit -tiä,
"Tir - - lil - - lil" lis - peln. "Tui - tur"
Tir - - lil - - lil - - lit - tiä. Tui - tur
"Tir - - lil - - lil" lis - peln. "Tui - tur"
Tir - - lil - - lil - - lit - tiä. Tui - tur -

115
ff
mf
f
lus - - tern, tan - zen. "Tir-lil" lis- peln, "Tui-tur" lus-tern,
lut - - tia, tans - siin. Tir - lil - lit - tiä, tui - tur - lut - tia,
lus - - tern, tan - zen. "Tir-lil" lis-peln, "Tui-tur" lus-tern,
lut - - tia, tans - siin. Tir - lil - lit - tiä, tui - tur - lut - tia,
lus - - tern, tan - zen. "Tir - lil" lis - peln,
lut - - tia, tans - siin. Tir - lil - lit - tiä,
lus - - tern, tan - zen. "Tir - lil" lis - peln,
lut - - tia, tans - siin. Tir - lil - lit - tiä,
115
"Tui-tur" lus-tern, al-le nun wol-len tan - zen. "Tir-lil" lis-peln, "Tui-tur" lus-tern,
tui-tur - lut - tia, kaik-ki ne tah-too tans - siin. Tir - lil - lit - tiä, tui - tur - lut - tia,
"Tui-tur" lus-tern, al-le nun wol-len tan - zen. "Tir-lil" lis-peln, "Tui-tur" lus-tern,
tui-tur - lut - tia, kaik-ki ne tah-too tans - siin. Tir - lil - lit - tiä, tui - tur - lut - tia,
lus - tern bra - ve Bur - schen. "Tir - lil" lis - peln,
lut - tia ko-mi - a - ta poi - kaa. Tir - lil - lit - tiä,
lus - tern bra - ve Bur - schen. "Tir - lil" lis - peln,
lut - tia ko-mi - a - ta poi - kaa. Tir - lil - lit - tiä,

120
mf
f
p
ff
schö-ne Mäd-chen, bra - ve Bur-schen. "Tir-lil" lis-peln, "Tui-tur" lus-tern, al-le nun wol-len
nät- tiä tyt - tiä, ko-mi-a-ta poi-kaa. Tir-lil-lit-tiä, tui-tur- lut-tia, kaik-ki ne tah-too
schö-ne Mäd-chen, bra - ve Bur-schen. "Tir-lil" lis-peln, "Tui-tur" lustern, al-le nun wol-len
nät- tiä tyt - tiä, ,ko-mi-a-ta poi-kaa. Tir-lil-lit-tiä, tui-tur -lut-tia, kaik-ki ne tah-too
"Tui - tur" lus - tern, al - le wol - len tan - zen.
tui - tur - lut - tia, kaik - ki tah - too tans - siin.
"Tui - tur" lus - tern, al - le wol - len tan - zen.
tui - tur - lut - tia, kaik - ki tah - too tans - siin.
120
schö-ne Mäd-chen, bra-ve Bur-schen. "Tir-lil" lis-peln, "Tui-tur" lustern, al-le nun wol- len
nät - tiä tyt - tiä, ko-mi-a-ta poi-kaa. Tir-lil - lit-tiä, tui-tur-lut-tia, kaik-ki ne tah-too
schö- ne Mäd-chen, bra- ve Bur- schen. "Tir-lil" lis-peln, "Tui-tur" lustern, al-le nun wol-len
nät- tiä tyt - tiä, ko-mi-a-ta poi-kaa. Tir-lil-lit-tiä, tui-tur-lut-tia, kaik-ki ne tah-too
"Tui - tur" lus - tern, al - le wol - len tan - zen.
tui - tur - lut - tia, kaik - ki tah - too tans - siin.
"Tui - tur" lus - tern, al - le wol - len tan - zen.
tui - tur - lut - tia, kaik - ki tah - too tans - siin.

125
pp
Tir-lil-lil-lil
p
tir-lil
mf
f
tir
tir
pp
Tir-lil-lil-lil
p
tir-lil
mf
f
tir
tir
3
4
2
4
125
pp
Tir-lil-lil-lil
mp
tir-lil
mf
f
tir
tir
pp
Tir-lil-lil-lil
mp
tir-lil
mf
f
tir
tir

130
135
(unis.)
p
ppp
bisbigl.
mf
pp
Tir-lil-lil-lil tir-lil - lil
Ta - - - - - - - - an - zen. Ta - - - - an - - zen.
Ta - - - - - - - - ans - si. Ta - - - - ans - - si.
3
4
2
4
Durata: 2'